내가 바뀌지 않으면
남들도 변하지 않는다

은하원 지음

내가 바뀌지 않으면 남들도 변하지 않는다

발 행 | 2024년 7월 8일
저 자 | 은하원
펴낸이 | 한건희
펴낸곳 | 주식회사 부크크
출판사등록 | 2014.07.15.(제2014-16호)
주 소 | 서울특별시 금천구 가산디지털1로 119 SK트윈타워 A동 305호
전 화 | 1670-8316
이메일 | info@bookk.co.kr

ISBN | 979-11-410-9381-5

www.bookk.co.kr

내가
바뀌지 않으면
남들도
변하지 않는다

은하원 지음

[프롤로그]

마음의 상처가 깊어 괴로워하는 사람들에게

사람은 살아가면서 누구나 마음의 상처를 입게 되는 것 같아요. 그게 아주 가까운 가족, 친구가 될 수도 있고 친하지 않거나 아예 모르는 사람에게 받는 경우가 생길 수도 있죠. 아마 지금까지 살면서 한 번도 상처를 받지 않은 사람은 없을 거예요. 사람이 아닌 동물조차도 감정이 있어 상처를 받게 되는걸요.

하지만 그 상처가 시간이 아무리 흘러도 씻겨 내려가지 않고 그 자리에 계속 그대로 남아있다면 어떨까요? 사람마다 다 달라요. 어떤 사람은 그 상처를 시간이 흐르면 훌훌 털어버리는 사람이 있고, 또 어떤 사람은 그 상처로 인해 괴로워하며 시간을 보낼 수도 있겠죠. 아무리 세월이 흘렀어도 그 상처가 자신을 괴롭히고 힘들게 한다면 정말 고통스러운 시간을 보내게 될 거예요.

그런다면 어떤 사람은 그럴 수도 있어요. '벌써 몇 년이나 지난 걸 아직까지도 가슴속에 담아두고 있어? 진짜 심하다.' 그리고 또 어떤 사람은 이제는 지겹다며 지쳤다고 말할 수도 있을 거예요. 하지만 이 중에서 제일 힘든 사람은 누구일까요? 바로 본인이에요. 계속해서 그 상처를 꺼내, 나 자신을 힘들게 하고 괴롭히는 거니까요.

상처가 너무 깊어 그걸 계속 생각하는 나에게 '넌 진짜 왜 그래?' 하며 자책하고 '넌 왜 이 모양이야?' 하며 타박한 적은 없나요? 그러다 자기 자신을 싫어하게 되고, 상대방은 아무 생각이 없는데 '재가 날 이상하다고 생각하면 어떡하지?' 혼자 상상하고 상처받은 적은요?

전 이 모든 게 다 공통적으로 이게 없어서라고 생각해요. 자기를 존중하는 '자존감'과 자기 자신을 사랑하는 마음이요.
지금껏 살아오면서 지나치게 남의 말을 신경 쓰고 '저 사람은 나를 어떻게 생각할까?' 하며 남이 나를 어떻게 생각하는지 걱정해 나 자신을 괴롭게 했나요?

저는 이 책에서 단순히 '나 자신을 사랑해야 남도 나를 사랑한다.'라는 말만 딱 하는 게 아닌 왜 나 자신을 사랑해야 하는지 마음이 와닿을 수 있도록 알려드리고 싶어요.

그저 그런 말만 딱 하고 설명문처럼 줄줄이 써놓으면 와닿지 않을 뿐만 아니라 마음을 움직이지 못해 바뀌기 어려울 테니까요.
저는 사람이 바뀌기 시작하는 시점이 어느 순간 깨닫게 되어 깊은 울림이 느껴질 때라고 생각해요. 아무리 주변에서 말해줘도 자기 자신이 깨닫지 못하면 아무 소용이 없으니까요.

이 책을 읽고 조금이라도 깨닫게 되고 마음이 움직여 더 이상 괴로워하며 스트레스받는 일이 없으시길 간절히 바랍니다. 그것이 자기 자신뿐만이 아니라 주변 사람도 행복하게 만드는 거니까요.

목차

Part 4. 모든 걸 부정적으로 생각하는 사람들에게

- 긍정과 부정은 한 끗 차이임을 알라
- 현실이 아니라 자신이 부정적인 사람임을 알라
- 모든 게 부정적이면 나도 힘들고 주변 사람도 지친다는 걸 알라
- 부정적인 사람보다 긍정적인 사람이 훨씬 좋음을 알라
- 부정적인 생각을 하게 된다면 가만히 있지 말고 다른 곳에 집중해라

Part 5. 자신이 행복하다고 느끼지 못하는 사람들에게

- 행복은 아주 가까이에 있음을 알라
- 사소한 행복이라도 힘이 될 수 있음을 알라

Part 6. 왜 나는 바뀌지 않고 그대로 인 걸까 하며 자책하는 사람들에게

- 내가 바뀌지 않으면 남들도 변하지 않는다는 걸 알라
- 나 자신이 바뀌기 시작하면 남들이 변하지 않아도 많은 것이 바뀐다는 걸 알라

- 한 번에 바뀌지 않는다고 자책할 게 아니라 나를 격려해라

(위로의 말)

[에필로그]

Part 1

자기 자신을 혐오하고 타박하는 사람들에게

남들과 비교하지 말라

사람은 '비교'하는 것에서 시작되는 것 같아요. 많은 사람들과 만나게 되면서 나보다 더 잘난 사람을 만나게 된다면 '저 사람은 저렇게 능력이 좋은데 난 왜 노력해도 안 되는 거지?'하면서 남과 나를 비교하게 되는 거죠. 아무리 내가 어느 곳에서 인정을 받아 그곳에서 제일 능력이 좋다고 하더라도 더 좋은 곳으로 가게 된다면 나보다 훨씬 능력이 좋은 사람이 차고 넘치거든요.

비교한다고 해서 좋은 것도 없고 자신을 괴롭히는 일이라는 걸 알지만 사람들은 자기도 모르게 비교를 하게 되고 또 괴로워하는 일을 반복하는 거예요.
그렇다면 사람들은 왜 그렇게 비교를 하는 걸까요? 저는 두 가지로 나뉠 수 있다고 봐요. 첫 번째는 욕심이 너무 많아 내가 무조건 위가 되고 싶은 욕망이 강한 사람과 자기 자신을 너무 낮게 생각하고, 그런 내가 싫은 사람.

이렇게 두 가지로 말이죠. 저는 이 두 가지 중에서 두 번째에 대해 이야기를 하고 싶어요. 자기 자신이 남들보다 나은 게 없다고 생각하고 너무 낮게만 보면 당연히 자기 자신을 싫어할 수밖에 없겠죠?
왜냐면 그렇게만 생각한다면 이 세상에서 자기가 제일 쓸모없고 나 같은 사람은 이 세상에 없을 거야 하고 생각하게 되니까요.

모두가 다 아는 말일 거예요. 이런 말이 있잖아요. '이 세상에 쓸모없는 사람은 없다.'라고 말이에요. 하지만 주변에서 아무리 듣고 얘기한다 하더라도 자기 자신과 남들을 비교하기 시작한다면 더불어 자신을 싫어하고 혐오한다면 전혀 와닿을 수 없을 거예요.

제가 말해드리고 싶은 건, 비교를 하기 시작하면 끝이 없다는 거예요. 정말 당연한 말일 수도 있겠지만 저는 이게 무척 중요하다고 생각해요. 이 세상에는 나 말고도 많은 사람들이 살고 있어요. 그 인구수는 엄청나죠.

그 많은 인구 중에 내가 제일 똑똑할 확률은 몇 퍼센트나 될까요? 살면서 많은 사람들을 만나게 될 거예요. 시험을 봤는데 어떤 사람은 나보다 점수를 덜 받을 수도 있고, 어떤 사람은 나보다 시험을 잘 봤을 수도 있죠. 그렇다면 일일이 '얘는 나보다 이 정도가 더 잘 나왔네.' '얘는 나보다 점수가 훨씬 높게 나왔네.'하면서 다 따지며 비교할 건가요?

다르게 생각을 해보면 나보다 점수가 더 못 나온 사람들도 있는걸요. 그렇다면 나보다 점수가 못 나온 사람들은 쓸모가 없고, 잘하는 게 하나도 없는 사람들일까요?

저는 사람들에게 한 개씩은 자신만의 잘하는 게 있다고 생각해요. 만약 전 세계 사람들 중에서 공부를 제일 못하는 사람이 있으면 그 사람은 정말 쓸모가 없고 나은 사람이 안 되는 걸까요?

단순히 공부나 능력이 아니라 상대방의 말을 귀담아 들어주는 사람, 누군가를 웃게 해 주고 말을 예쁘게 하는 사람, 약속 시간을 잘 지키는 사람.

이런 것들도 잘하는 것에 포함이 되는 거예요.

어떤 사람은 약속만 잡았다 하면 계속해서 늦지만 그 사람은 거의 약속 시간을 잘 지키는 것이니까요. 어떤 사람에게는 약속 시간을 지키는 게 어려운 것을 해내고 있는 거잖아요.

자기 자신을 타박하고, 싫어하며 '나는 안 되는 사람이구나.'할 게 아니라 '난 공부는 못하지만 다른 사람보다 끈기가 있네?' 하며 조금씩 진짜 사소한 거라도 나의 '장점'을 생각하게 된다면 비교하는 것을 줄여나갈 수 있는 것 같아요.

무슨 거창하고 거대한 이유가 아니라 사람은 사소한 것부터 시작해 점점 늘려가는 것이니까요. 비교를 하기 시작하면 자기 자신이 불행해지는 것 같아요. 아주 사소한 것이라도 자기가 잘하는 것을 찾아 '난 이런 장점이 있네?'하며 생각한다면 조금씩 나아갈 수 있는 거죠. 나 자신이 행복해지는 방법도 아주 사소한 것부터 비롯되니까요.

자기 자신을 있는 그대로 받아들여라

나 자신을 타박하고 스스로 상처 주는 건 자기 자신을 있는 그대로 받아들이지 않아서예요. 어떤 누가 나에게 '너는 왜 그렇게 예민하니?'하고 말한다면 자기 자신을 받아들인 사람들은 '나 원래 예민해.'하고 생각할 수 있지만 그렇지 못한다면 '내가 그렇게 예민한 사람인가?' 생각하며 괴로워하기만 할 거예요. 왜냐면 아직 자기 자신을 받아들일 준비가 되지 않았거든요.

그렇다고 해서 사람들이 나에게 하는 말이 다 맞는다는 말을 하는 건 아니에요. 하지만 그런 말들을 자주 듣는다면 본인에게 문제가 있는 거겠죠?
사람들은 자신에게 좋지 않은 말을 하면 잘 받아들이지 못하는 것 같아요. 예를 들어 아까 말했던 예민하다는 말이 좋은 뜻으로 말하는 경우는 거의 없잖아요?

사람들이 받아들이지 못하는 이유는 인정하기 싫어서예요. 왜냐면 안 좋은 거니까요. 하지만 저는 인정하지 못하고 '나 진짜 그런 가?' 하며 힘들어하기보단 내가 왜 그런 말들을 자주 듣는지 곰곰이 생각하고 수용하며 고쳐나가는 게 좋다고 생각해요.

사람은요, 절대 완벽하기만 할 수 없어요. 자신에게 부족한 부분을 천천히 알아가며 고쳐가는 거지 이 세상에 완벽하기만 한 사람은 없다는 말이에요. 사람들이 나에 대한 안 좋은 말을 했을 때 받아들이지 못하는 이유가 내가 잘못한 것 같아서, 내가 나쁜 사람 같아서. 이게 제일 큰 것 같아요.

하지만 전혀 나쁜 게 아니에요. 사람은 누구나 실수를 할 수 있고, 실수를 했으면 사과를 하고 다음부터는 조심해하며 하지 않으면 돼요.
그런데 자신이 실수를 했음에도 사과하지 않고, 내가 나쁜 사람이 된 것 같아 그냥 회피한다면 그건 안 된다고 생각해요.

그거랑 같아요. 만약 자기 자신을 인정하지 않고 받아들이지 않는다면 다른 누구도 아닌 나 자신에게 나쁜 짓을 한 거예요. 나는 나예요. 만약 내가 다른 사람 보다 많이 느리면 받아들이면 돼요. 다른 사람보다 예민하면 그것도 받아들이면 돼요.

하지만 그것을 절대 단점이라고만 생각하면 안 돼요. 내가 만약 다른 사람들보다 느리다고 한다면 꼼꼼히 일을 진행할 수 있는 장점이 있어요. 그리고 예민하다고 한다면 다른 사람은 보지 못 하는 걸 볼 수도 있는 거예요.

자기 자신을 있는 그대로 받아들여야 다른 사람도 나를 인정해 주고 받아들여 줄 수 있는 거예요. 누구보다도 내가 나를 보듬어 줄 수 있는 거니까요.

나에게 미안해해라

만약 자신을 지금까지 혐오하고 상처를 줬다면 지금 당장 해야 할 게 있어요. 바로 나 자신에게 사과하는 거예요. 어떤 사람은 '무슨 소리야?'하실 수도 있지만 나 자신에게 사과하는 것만큼 값진 사과는 없어요.

여러분은 이 세상에서 누가 제일 여러분을 믿어주고 응원해 줄 수 있다고 생각하시나요? 가족? 아니면 친구? 다 아니에요. 바로 나 자신이에요.

그런데 그런 나 자신에게 지금까지 너는 왜 그렇게 못났냐, 왜 그렇게 이상하냐 하며 폭언을 했다면 나는 많이 다쳤을 거예요. 몸에 멍이 들고 상처가 나는 것만이 폭행은 아니에요. 말로 상대방을 상처 주는 것도 언어폭력이죠. 하지만 그걸 모르는 사람들이 많은 것 같아요.

단순히 몸에 멍이 들어야만 아픈 걸로 아는 사람들이 많거든요. 왜냐면 멍과 상처는 눈에 보이지만 말로 인해 상처받는 건 눈에 보이지 않거든요.
멍이 들면 아파요. 무지 아프죠. 하지만 그만큼 말로 들은 상처도 아파요. 눈에 보이지는 않지만 그 상처가 평생 갈 수도 있는 거예요.

다른 사람에게 상처받아도 너무 마음이 아픈데 내가 나 자신에게 상처를 주면 얼마나 내가 아파하겠어요? 사실 나를 사랑하고 존중하는 사람들이라면 어려운 일은 아닐 거예요. 하지만 안 그래도 상처가 많은 사람이 나 자신마저 혐오하고 못 된 말을 하면 나는 오갈 데가 없어요.

그러니 그 누구보다도 나 자신에게 사과해야 하는 거예요. 나를 때리고 피 멍들게 한 거와 같으니까요. 나 자신을 두 팔로 힘껏 안아주면서 '그동안 많이 힘들었지? 미안해. 널 피 멍들게 해서.'라고 말해준다면 신기하게도 상처가 조금씩 치유되기 시작해요.

그렇다고 해서 그걸 한 두 번만 하고 그만 두면 안 돼요. 만약 자신을 상처 주고 힘들게 한 시간이 길었다면 이미 그것이 '습관'이 되어있기 때문이에요. 그렇기 때문에 자신도 모르게 다시 자신에게 언어폭행을 하고 피 멍들게 하는 거죠. 그래서 자신에게 미안한 마음을 가지고 더 이상 자기 자신을 학대하는 습관이 사라질 때까지 계속해서 말해주세요.

'수고했어.' '지금까지 너무 고생 많았어.' 이렇게 나 자신에게 말하며 나를 토닥여주면 내 마음이 스르르 녹고 그게 습관이 된다면 더 이상 나를 학대하는 일은 없을 거예요.
말 하나하나가 다 소중하고 생각하고 내뱉는 습관을 길러야 해요. 그게 쉽지는 않지만 말 하나로 한 사람의 인생이 바뀔 수도 있으니까요.

자신에게 칭찬을 아끼지 말고 사랑하라

만약 자신을 사랑하지 않고 싫어하는 사람들이라면 한 번쯤은 이 말을 들어봤을 거예요. '네가 너를 사랑하지 않으면 다른 사람도 널 사랑할 수 없어.'라는 말말이에요. 아직 그게 안 되는 사람들은 '도대체 내가 나를 왜 사랑해야 하지?'하며 의문을 품을 거예요.

너무나 맞고 형식적인 말이지만 맞는 말이에요. 정말 그 말처럼 나 자신이 나를 사랑하지 않으면 아무도 사랑해 줄 수 없어요. 예를 들어볼게요. 어떤 한 사람이 있어요. 그 사람은 자기 자신을 싫어할 뿐만 아니라 혐오하고 증오해요. 자기 자신이 얼굴도 못생기고 뚱뚱하고 잘 난 구석이 하나도 없다고 생각하거든요. 그런데 어떤 사람이 이 사람한테 '너 정말 예쁘다.'라고 말한다면 어떻게 생각할까요?

'분명 거짓말을 하는 걸 거야.' '그냥 듣기 좋으라고 하는 말이겠지.'하고 생각할 거예요. 그렇다면 그 사람은 아무에게도 사랑받을 수 없어요. 왜냐면 아무리 주변에서 진심으로 얘기해 준다한들 자기가 아니라고 생각하니까요.

그래서 사람들이 '네가 너 자신을 사랑하지 않으면 다른 사람도 널 사랑해 줄 수 없어.' 라고 말하는 이유가 이거예요. 자기 자신을 사랑하지 않아 어떤 좋은 말을 해도 귀에 안 들어오니 사랑을 받을 수 없는 거죠.

그렇다면 어떻게 해야 자기 자신을 사랑할 수 있을까요? 우선 방법은 간단해요. 제가 앞에서 얘기했던 것들과 비슷하니까요. 여러분은 전신 거울 앞에서 '나는 최고야.' '나는 대단해.'라고 외친 적 있나요? 어떤 사람은 유치하다고 생각할 수도 있을 거예요. 저도 그랬거든요. '이걸 한다고 어떻게 달라져?'라고 생각했던 시절이 있었죠.

제 말은 꼭 전신 거울 앞에서 외쳐야 한다는 게 아니라 어떤 말이든 나 자신에게 칭찬과 존중을 해주라는 말이에요. 처음에는 유치해 보일 수도 있고 반신반의할 수도 있겠죠. 지금껏 한 번도 안 해본 분들은 어색하실 거고 힘들 거예요. 한 번도 해보지 못했으니까요.
자신을 싫어하고 상처 주는 것이 습관이 되어 익숙해졌듯이 이것도 똑같아요. 한 번도 해보지 않았다고 해서 시작도 안 하는 게 아니라 계속해서 해보고 반복해 보세요.

그렇게 한다면 어느 순간 자신을 칭찬하고 존중하는 것이 습관이 되어 사랑할 수 있게 될 거예요. 너 정말 대단하다고, 별 거 아닌 사소한 거라도 나 자신에게 칭찬을 듬뿍 주세요. 그것이 나를 사랑하는 것의 시작점이거든요.

Part 2

지나치게 남들의 말을 신경 쓰고, 혼자 상상해 상처받는 사람들에게

이 세상에서 나를 제일 잘 알고 믿어주는 사람은 자신 밖에 없음을 잊지 말라

혹시 지나치게 남들의 말을 신경 쓰고 계시진 않나요? 말 하나 하나에 다 신경 쓰고, 고치려 한다던가 말이에요. 남의 말을 지나치게 신경 쓰는 사람이 만약에 '너 진짜 이기적인 사람이야.' 라고 말한다면 그 사람은 아마도 이기적인 걸 고치려고 할 거예요. 하지만 제가 앞서 말했듯이 상대방이 말하는 게 꼭 사실인 건 아니에요.

사람마다 기준이 다르고 생각이 다 다르니까요. 어떤 사람은 이기적인 게 혼자만 다 음식을 먹어 치우는 것일 수도 있고, 어떤 사람은 콩 한쪽도 같이 나눠 먹지 않으면 이기적인 거라고 생각하는 사람도 있죠. 그렇듯 사람마다 이기적이다라고 하는 '기준'이 다 다른 것 같아요.

예를 들어 그 사람은 나이가 많은데도 만화를 좋아하고, 귀여운 것들을 좋아해요. 그런데 어떤 사람은 그걸 순수하다고 생각할 수도 있지만 어떤 사람은 어린애 같다고 말할 수도 있는 거죠. 사람마다 생각하는 거와 기준이 천차만별로 다른 것 같아요.

그런데 남의 말에 지나치게 신경 쓰다 보면 '내가 진짜 어린애 같은 가?'라고 생각하게 돼요. 그게 잘 못된 것도 아닌데 말이에요. 제가 그래서 상대방의 말이 다 맞는 게 아니라고 한 게 이 이유에서 에요. 기준이 다 다르기 때문이죠.

기준이 다름으로 인해 상대방에게 못할 말을 하고, 상처를 받는 경우도 많을 거예요. 생각보다 이 세상에는 나와 다른 생각을 가진 사람이 정말 많은 것 같아요. 나는 상상하지도 못한 것들을 좋은 것이든 안 좋은 것이든 생각의 차이로 인해 여러 가지 생각을 가질 수 있는 거니까요.

그러기 때문에 내가 잘못한 것과 상대방이 잘못 말하고 있는 것을 구별해야 하는 것 같아요. 그러지 않으면 상대방의 말만 듣고 내가 잘 못한 것도 아닌데 잘 못했다고 생각하게 되는 거니까요.
이 세상에서 나를 제일 잘 아는 사람은 자신 밖에 없어요. 만약 어떤 사람이 나에게 '너 정말 이기적이다.'라고 했을 때 상대방의 기준에 문제가 있는 건 아닌지, 아니면 내가 진짜 고쳐야 될 부분이 맞는지 생각을 해 보는 것이 중요하죠.

또 진짜 이기적인 사람은 아닌데 주변 상황이나 이유가 있어 그렇게 보이게 되는 건 아닌지도 생각해 봐야 해요. 이 세상에서 나를 제일 잘 아는 건 나겠죠? 그러니 남들의 말에 너무 신경 쓰지 않고 나를 믿고 구별하는 능력을 길러나가야 내가 발전할 수 있어요.

상대방에게 무언가를 바라지 말라

혹시 여러분은 누군가에게 선물을 줬을 때 상대방도 나에게 선물을 주길 바라고 있나요? 만약 그렇다면 멈추시는 게 좋을 것 같아요. 왜냐면 그게 상처로 돌아올 수도 있거든요.
무언가를 바라고 상대방에게 뭘 해준다면 상처가 돌아올 때가 많은 것 같아요. 무언가를 '바라고'해준 거니까요. 아무 기대 없이 해준 거라면 상관이 없지만 바라고 해 준다면 상대방이 내가 바란 거에 부응을 안 해줄 확률이 높거든요.

이거하고 똑같은 것 같아요. 혼자 상상하고 상처받는 일말이에요. 예를 들어 친구가 있어요. 그런데 그 친구가 나는 하루에 한 번씩 꼬박 전화를 하는데 그 친구는 한 번도 안 해주는 거예요. 그러면 여러분은 어떻게 생각할 것 같나요?
'뭐 그 친구는 자기가 전화를 잘 안 하나 보다.'하고 생각할 수도 있고 어떤 사람은 '내가 귀찮은 걸까? 그래서 전화 안 하는 건가?' 이렇게 생각하는 사람도 있을 거예요.

여기서도 똑같은 게 선물을 주면서 나도 선물을 받고 싶은 마음이 있는 것처럼 그 친구도 전화를 해줬으면 하는 바람이 있기 때문에 상처를 받는 것 같아요.

그러면서 혼자 상상을 하게 되고, 혼자 상상한 걸 가지고 상처를 받게 되는 거죠. 그 친구 아니면 누구도 진정한 속마음을 모른다는 걸 알고 있음에도 불구하고 상처를 받게 되는 거예요. 당연한 말이지만 그 사람이 아닌 이상 누구도 속마음을 알 수 없어요. 오로지 그 사람만이 알고 있는 거예요. 어떤 생각으로 전화를 안 하는 건지, 진짜 귀찮은 건지, 아니면 그저 전화를 원래 잘 안 하는 성격인지는 오로지 본인만 아는 거죠.

그런데 혼자 상상하면서 괴로워하면 누가 알아줄까요? 아니요, 나 자신만 괴로워요. 그래서 그런 것들로 인해 상처를 받고 싸우고 결국은 인간관계를 잘 못 맺게 되는 것 같아요.
혼자 상상하고 괴로워하다 보면 스트레스를 받아 인간관계가 이어지기 쉽지 않거든요. 그러니 상상만 하는 게 아니라 '너 혹시 내가 귀찮아서 전화 안 거는 거야?'라고 솔직한 마음을 표현하고, 상대방의 말을 들으면 아, 그렇구나 하고 받아들이는 게 좋아요. 상대방은 아무 생각도 없는데 혼자 상상하고 상처받으면 얼마나 힘들겠어요.

그러니 혼자 상상하는 습관을 멈추는 게 중요한 것 같아요. 그렇지 않으면 인간관계를 맺을 때마다 피곤해지니까요.

그저 성향이 달라 그럴 수 있다고 생각하라

사람마다 기준이 다르듯이 성격과 성향도 정말 다 다양해요. 그런데 그 성격과 성향 때문에 상처받고 신경 쓰는 일이 일어나는 것 같아요. 예를 들어 볼게요. 예를 들어 어떤 사람은 '넌 왜 그렇게 생겨 먹었냐?'하고 말하는 게 습관이 된 사람이에요. 그런데 그 사람은 이미 습관이 되어 있어 정말 아무 생각 없이 말한 건데 듣는 사람 입장에서는 어떨까요? '내가 못생겨서 저런 말을 하나?'하고 의미 부여를 하게 될 거예요. 왜냐하면 그 사람 성향에 대해 모르니까요.

만약 '넌 왜 이딴 걸 보냐?' '너 진짜 이상하다.'와 같이 계속해서 그 사람이 그런 말들을 한다면 한 번 살펴보세요. 어떤 의도로 그렇게 말하고 있는지를요.

관찰하기 시작하면 보이기 시작할 거예요. '아, 원래 저런 식으로 말하는 사람이구나.'

사람마다 말하는 방식과 표현이 다 다르고 그런 거에 서투를 수도 있으니까요.
어떤 사람에게는 그런 것들이 '관심의 표현' 일 수도 있는 거죠. 관심이 있는데 말하는데 서툴러서 좀 세게 말이 나오는 거예요.

그렇다고 해서 그 사람이 잘했다, 이해해라라고 말하는 게 아닌 오로지 나를 위해 그렇게 생각하라는 거예요. '이 사람은 원래 저렇게 말하는 성향의 사람이니까 신경 쓰지 않아야겠다.'하고 생각하게 된다면 마음이 편한 사람은 저겠죠?

그러니 이 세상에는 다양한 사람이 많고, 나의 관점에서만 보는 게 아니라 그 사람의 관점이 되어서도 세상을 봐야 해요. 오로지 저를 위해서요.

Part 3

말 하나하나에 상처를 다 받는 사람들에게

상대방을 있는 그대로 받아들여라

제가 전에 나 자신을 받아들이라고 했던 말 기억하시나요? 바로 전에 했던 얘기와 이어지는데 상처를 덜 받으려면 상대방을 있는 그대로 받아들이는 게 중요해요.
나를 모르는 어떤 사람이 온라인에서 나를 욕한다면 제일 좋은 방법이 무엇일까요? 신고한다? 아니면 무시한다? 다 좋은 방법이죠. 그렇지만 여기서 만약 가정을 해본 다면 어떨까요?

그 사람이 나를 진짜로 그렇게 생각해서 욕을 하는 게 아니라 그저 자신의 기분이 너무 안 좋아 나에게 화풀이를 한다고 생각해 보세요. 그러면 훨씬 나아지지 않나요? 그렇게 가정을 한다면 '내가 그렇게 욕먹을 짓을 했나?'가 아닌 '재수 없어.'라고 생각하게 되겠죠.

만약에 여러분에게 누군가가 내가 잘못한 게 없는데 욕을 하거나 상처 주는 말을 한다면 그렇게 가정해 보세요. '얘가 화풀이 할 곳이 없어서 잘 못이 없는 나한테 하는 거구나.'하고 말이죠.

여기서 제가 상대방을 받아들이라는 건 이런 걸 뜻하는 거예요. 그 사람은 잘 못이 없는 사람한테 화풀이하는 사람이구나 하고 받아들이며 원래 그런 사람이니 신경 쓰지 않는 거죠.
그런다면 상대방이 나에게 상처 주는 말을 할 때마다 흘려들을 수 있는 힘이 생기게 되는 것 같아요.

나 자신을 존중해라

상대방의 말 한마디에 상처를 다 받는다면 그건 자존감이 매우 낮을 확률이 높아요. 자존감은 말 그대로 '자기 자신을 존중하는 마음이에요.' 자존감이 높은 사람은 다른 사람이 뭐라고 해도 신경 쓰지 않지만 자존감이 낮은 사람이라면 가뜩이나 자기를 존중하지 않는데 당연히 상처를 받게 되고 치유되기 쉽지 않겠죠.

그러니 자기 자신을 존중해야 해요. 좋아하는 드라마를 보고 있는데 어떤 사람이 '넌 뭘 그런 걸 좋아하냐?'라고 한다면 자기를 존중할 줄 아는 사람은 '내가 좋아하는데 뭐 어떻게 하라고.' 이렇게 생각하게 될 거고, 자기를 존중하지 못한 다면 '내가 이상한 건가?' 생각하게 되겠죠.

그러나 자기를 존중하기 시작하면 그 힘에 의해 상처를 훨씬 덜 받게 돼요. 그만큼 '자기 존중'은 정말 중요하고 큰 성장을 할 수 있는 거죠. 어떤 사람이 '넌 뭘 그런 걸 좋아해?'라고 말한다 해도 '내가 좋아하는데 네가 뭐 보태준 거 있어? 너무 좋은 걸 어떡해.'하며 말할 수 있는 힘을 기른 다는 건 살면서 아주 중요한 것 중 하나예요.

이것도 같은 맥락이에요. 자기 자신을 사랑해야 남도 사랑할 수 있는 것처럼 내가 나를 존중해야 상대방도 존중을 해주죠. 어떤 사람이 '넌 정말 이상하고, 존중받을 가치도 없는 애야.'하고 말했는데 그 사람이 '맞아. 나는 정말 이상하고, 존중받을 가치도 없는 애야.'하고 말한다면 누가 그 사람을 존중해 줄 마음이 들까요?
자기 자신조차도 그렇게 말하며 존중해주지 않는데 말이죠.

하지만 그렇게 말하지 않고 '아니야. 나는 이상하지도 않고, 존중받아 마땅한 사람이야.'하고 당당하게 말한다면 사람들도 조금씩 그 사람을 존중해 주겠죠?

그러니 '존중'은 나로부터 시작되는 거예요. 아무도 나를 존중해주지 않아도 내가 나 자신을 존중해 주면 다른 사람이 존중해 주는 것보다 더 큰 힘이 돼요.
그러니 자신감을 가지고 나를 존중하는 것이 살아가는데 힘이 된다는 걸 알아야 하는 것 같아요. 그러지 않으면 아무도 나를 존중해주지 않을 테니까요.

Part 4

모든 걸 부정적으로 생각하는 사람들에게

긍정과 부정은 한 끗 차이임을 알라

혹시 여러분은 내가 부정적인 사람인가? 하는 생각을 해 본 적 있나요? 혹은 주변에서 '넌 왜 그렇게 부정적인 사람이야?'라는 말을 자주 들으시나요? 저는 긍정과 부정에 대해 말해보려 해요. 사실 긍정과 부정은 정말 한 끗 차이라고 볼 수 있어요. 조금만 생각을 달리하면 부정에서 긍정적인 사람이 될 수 있거든요.

모든 것을 다 부정적으로 생각하는 사람은 이런 사람이에요. 새로운 카페에 가게 됐어요. 가서 노트북으로 글을 쓰는 게 집에서 쓰던 것보다 잘 써져요. 그래서 기분이 좋죠. 그런데 메뉴가 나왔는데 맛이 없는 거예요. 그럼 모든 게 부정적인 사람은 어떤 생각을 가지게 되는지 아시나요?

'이 카페 온 거 망했다.' 이렇게 생각을 하게 돼요. 왜냐면 메뉴가 맛이 없다는 이유 하나 때문에요. 부정적인 사람은 좋은 것보다는 안 좋은 것에 초점을 맞춰서 생각해요. 그래서 카페에 와서 글이 잘 써져서 좋은 것은 생각을 하지 않고, 안 좋은 것만 기억에 남아 오로지 그것만 생각하며 부정적이게 생각하는 거죠.

반면 긍정적인 사람은 '글이 잘 써지네? 이 카페 오길 잘했다.' 하며 좋은 것에 초점을 두고 생각을 하게 되죠. 메뉴가 맛이 없는 것보다는 카페에 와서 글이 잘 써지는 것에 더 집중을 해서 말이에요.

이렇듯 저는 긍정적인 사람과 부정적인 사람은 한 끗 차이로 갈라진다고 말하고 싶어요. 바로 옆으로 조금만 가면 되는데 그게 안 되는 거죠.
그런 사람들은 아마 왜 이렇게 부정적이냐는 말을 정말 많이 들을 거예요. 그렇지만 '도대체 뭐가 부정적인 거지?' 하고 의문을 갖게 되죠.

왜냐면 이미 뇌가 부정 쪽에 기울어져 있기 때문에 정확히 자신이 왜 부정적이며 긍정적인 사람의 기준이 뭔지 헷갈리는 거예요.
하지만 긍정과 부정은 아주 한 끗 차이고 그 한 끗 차이만 앞으로 나아간다면 주변 사람도 나 자신도 행복해진다는 사실을 알아주셨으면 해요.

현실이 아니라 자신이 부정적인 사람임을 알라

사람마다 다 다르겠지만 대부분 부정적인 사람은 자신을 부정적이라고 말하면 그렇게 말할 거예요. '이게 현실인데 왜 부정적인 거야?'하고 말이에요. 만약 부정적인 사람이 '난 너무 뚱뚱해.'하고 말한다면 그게 정말로 현실일까요? 저는 말씀드리고 싶어요. 현실이건 아니건 그건 중요하지 않다고요.

제가 아까 부정과 긍정은 한 끗 차이라고 말씀드렸잖아요? 그렇듯 한 번 생각해 보세요. 항상 이건 현실이라며 '난 뚱뚱해.' '너무 못생겼어.'이런 말들만 하는 사람과 '이거 너무 좋다.' '이렇게 하길 잘했어.'하며 긍정적인 말만 하는 사람 중에 누가 더 끌리시나요? 당연히 모든 사람들이 긍정적인 사람을 선택할 거예요.

그게 현실이건 아니건 그런 건 중요하지 않아요. 긍정과 부정은 현실이건 아니 건을 떠나서 어느 쪽에 초점을 맞추는 건지니까요.
그러니 현실이다, 아니다, 이런 걸 따진다고 해서 뭘 하든 다 부정으로만 생각하는 건 결국 좋은 건 되지 못해요.

그러니 너무 부정적으로만 생각하는 사람이라면 나 자신도 힘들고 주변 사람도 지치기 전에 고치는 게 중요한 것 같아요.

모든 게 부정적이면 나도 힘들고 주변 사람도 지친다는 걸 알라

모든 게 부정적인 사람하고 있으면 왜 사람들은 그 사람하고 있는 게 지칠까요? 이유는 그 사람은 부정으로만 생각하기 때문에 불만만 늘어놓기 때문이에요. '난 진짜 왜 이 모양일까.' 혹은 '다른 애들은 예쁘고 다 잘 사는데 나만 이래.'이런 거 모두 다 불만인 거죠. 사람이 살면서 이런 불만들을 아예 말 안 하고 살 수는 없지만 그게 지나치게 과하면 사람들도 지치고 나도 지치게 돼요. 부정적인 사람들은 똑같은 얘기를 반복해요. 아무리 좋은 얘기라도 똑같은 얘기만 반복해서 들으면 힘들잖아요. 그런데 좋지 않은 얘기를 계속 듣는다고 생각해 보세요. 너무 지치죠.

물론 상대방도 너무 힘들고 지치지만 괴로운 건 본인도 마찬가지예요. 어딜 가서 뭘 하든 불만만 가득하니 당연히 좋을 수가 없겠죠? 부정적인 생각을 하게 되면 끝이 없어요. 자기와 남을 비교하고, 나는 왜 이럴까 생각하다 보면 늪에 빠지게 되죠.

늪에 빠지면 나오기 쉽지 않듯이 부정적인 생각에 빠지면 헤어나오기 쉽지 않아요. 부정은 꼬리를 물고 꼬리를 물어 결국 끝은 부정이거든요.

그러니 부정적인 생각은 최대한 안 하고 다른 걸로 돌리는 게 제일 좋은 것 같아요. 해결되는 것도 없고 나만 우울해지는 것뿐이거든요.

부정적인 사람보다 긍정적인 사람이 훨씬 좋음을 알라

부정적인 사람이 왜 좋지 않은지, 그리고 긍정적인 사람이 된다면 뭐가 좋은지를 알려드리려고 해요. 우선 긍정적인 사람은 뭐가 좋은지 알려드릴게요.

첫 번째로 긍정적으로 생각하게 되면 세상이 달라 보여요. 우선 어떤 상황으로 예를 들어볼게요. 길을 가는데 어떤 사람이 내 옷에 음료수를 쏟았어요. 그랬을 때 '오늘 운세 안 좋다고 했는데 이걸로 액땜했네!'하고 좋게 생각하게 된다면 나도 기분이 좋고, 상대방도 기분이 좋아요. 세상이 달리 보이기 시작하는 거죠. 스트레스를 받지 않아도 되고요. 두 번째로 주변에 사람이 많아져요. 긍정적이기 때문에 밝기 때문에 주변 사람들을 웃게 해 줄 수 있고, 영향을 받아 다른 사람들도 긍정적으로 변할 수 있죠.

하지만 만약 부정적이라고 한다면 어떻게 될까요? 부정적인 사람이 안 좋은 이유를 알려드릴게요.
우선 첫 번째로 사람이 다 지쳐서 떨어져요. 그 사람과 얘기하다 보면 어떤 사람인지 대충 짐작할 수 있게 돼요. 그러다 부정적인 얘기만 하며 불만만 늘어놓는다면 사람들은 지쳐 떠나게 되죠. 두 번째로는 내가 스트레스를 받는다는 거예요. 부정적인 건 끝이 없어요. 부정이 시작되면 비교하게 되고, 자기 자신을 깎아내리게 되죠. 그런 다고 달라지는 건 없는데 말이에요.

이렇듯 긍정적인 사람은 주변에 사람이 많고 자신이 스트레스를 덜 받는 반면에 부정적인 사람은 자신도 괴롭고 주변에 사람도 없어요. 그러니 어서 부정의 굴레에서 빠져나와야 하는 거죠.

부정적인 생각을 하게 된다면 가만히 있지 말고 다른 곳에 집중해라

그렇다면 부정적인 생각을 안 하려면 어떻게 해야 하는 걸까요? 우선 부정적인 생각을 하는 게 습관이 되어있는 사람은 고치기 어렵긴 해요. 하지만 힘든 과정을 이겨내야 성장할 수 있는 거예요.
우선 부정적인 생각을 안 하려면 딴 데로 시야를 돌리는 게 중요한 것 같아요. 부정적인 생각이 들 때 그저 가만히 있는 것과 부정적인 생각을 떨쳐버리고자 밖에 나가 산책을 하며 안정을 찾는 거는 완전히 다르겠죠?

산책은 우울한 걸 없애주는 데 큰 힘이 되는 것 같아요. 걸으며 자연을 보고, 하늘에 떠 있는 구름을 보면 어느새 부정적인 생각을 하던 게 사라져 있음을 느낄 수 있을 거예요.

처음부터 완전히 없애는 건 어렵겠지만 그렇게 차근차근 계단을 밟으며 나아간다면 분명히 해낼 수 있을 거예요. 한 번에 안 된다고 좌절하고 놓아버리는 게 아니라 자신을 격려해 주세요. '할 수 있다.' '한 번에 안 되는 건 당연해. 걱정하지 마.'하며 응원해 주면 더 빠르게 성잘 할 수 있어요.

남들이 아무리 '넌 왜 그렇게 빨리 안 바뀌어?'라고 한다고 해도 그럴수록 나 자신이 나를 믿고 응원해 주세요. 그래야만 앞으로 나아갈 수 있어요.

Part 5

자신이 행복하다고 느끼지 못하는 사람들에게

행복은 아주 가까이에 있음을 알라

'행복은 아주 가까이에 있다.'라는 말 많이 들어보셨죠? 그런데 자신이 행복하다고 생각하지 못하는 사람들이 많은 것 같아요. 전 그 이유가 자기 자신을 불행하다고 생각해서 인 것 같아요. 살아가면서 행복은 정말 중요한 것 같아요. 그러니 '나는 불행한 사람이야.'라든가 '나는 행복하지 않아.'라는 생각은 자신을 더 힘들게 할 뿐이죠.

사소한 행복이라도 자기 자신을 행복하다고 생각한다면 삶의 원동력이 되는 것 같아요. 그 행복이 힘이 되어 '내일도 살아보자.'하는 생각이 저절로 들 정도로 말이에요.
행복은 말이에요, 정말 가까이에 있지만 눈치채지 못했을 뿐이에요.

어떤 사람은 드라마를 보면 행복한 사람이 있고, 어떤 사람은 노래를 들으며 기분이 좋아지는 사람이 있을 수도 있죠.
어찌 보면 사소하지만 그 사람들에게는 그것들이 삶의 원동력이 될 수 있는 것 같아요.

만약 자신을 '불행하다'라고 단정을 짓는다면 뭘 하든 행복할 수 없어요. 왜냐면 난 행복할 수 없다고 생각하게 되니까요.
사람마다 행복의 기준은 다 달라요. 어떤 사람은 영화를 보면 그냥 '재밌다.'라고만 생각하는 사람이 있는 반면 어떤 사람은 '영화 때문에 나는 사는 거야.'하고 생각할 정도로 영화가 삶의 행복이 될 수도 있죠.

이런 사소한 것들로 행복이 시작되는 것 같아요. 마음만 먹으면 내가 행복하다고 느낄 수 있거든요. 저는 살아가는 데 있어서 '행복'은 꼭 필요하다고 생각해요. 내가 이 세상을 살아가는데 재미없고, 불행하기만 하다면 살아갈 힘이 안 생기잖아요.

아주 사소한 것으로부터 시작해 인생을 살맛이 생겨나는 것 같아요. 만약 어떤 사람이 '난 돈을 이 만큼 벌어야만 행복한 사람이야.'라고 자신의 행복을 매긴다면 그 사람이 그만큼 돈을 벌지 못했을 때는 어떻게 될까요? 당연히 자신이 불행한 사람이라고 생각하게 되고 절대 행복하다는 걸 느낄 수 없을 거예요.

이제 조금 감이 오시나요? 행복은 내가 만들어 내는 거지 다른 사람이 만들어 줄 수 있는 게 아니에요. 내가 불행하다고 생각하면 불행한 거고, 행복하다고 생각한다면 행복한 거니까요.

낡고 허름한 집에 살아도 자신이 행복하면 행복한 삶을 사는 것이고, 아무리 돈이 많고 좋은 집에 살아도 행복을 느끼지 못한다면 불행한 거예요.
행복은 아주 가까이에 있어요. 하지만 자신이 찾지 않을 뿐인 것 같아요.

사소한 행복이라도 힘이 될 수 있음을 알라

여러분은 혹시 이렇게 생각해 본 적은 없으신가요? 드라마를 보며 '난 이것 때문에 살아. 너무 행복해!'하는 사람을 보며 이상하다고 생각하거나 '뭐 저렇게 드라마 가지고 유난이야?'라고 생각한 적 말이에요.
아까도 말했듯이 행복의 기준은 사람마다 다 제각각으로 달라요. 예를 들어 어떤 사람이 있는데 그 사람은 드라마를 무척이나 좋아하는 사람이에요.
드라마를 보며 삶이 재미있다는 걸 느끼고 살아가는 사람이죠. 하지만 그 사람도 드라마라고 다 좋아하는 게 아니에요. 자신만의 기준이 있는 거죠. 내용은 이래야 하고, 남자주인공 설정은 이래야 하고, 여자주인공은 이래야 하고 이런 것처럼요.

기준이 까다롭다 보니까 자신의 취향에 맞는 드라마를 찾기가 어려운 거예요. 그래서 어떤 드라마를 다 정주행 하고 다른 드라마를 찾으려고 하면 볼 게 없는 거죠. 그렇게 된다면 그 사람은 꼭 한 달에 한 번씩은 드라마를 봐야 하는데 못 보니까 힘을 잃게 되는 거예요. 재미도 없고, 삶이 지루해지는 거죠.

여러분은 이 이야기를 읽으면서 공감이 됐나요, 아니면 '저런 사람이 세상에 있어?'하며 공감을 하지 못했나요? 이 사람은 다른 사람들이 보기엔 아주 사소한 거지만 그 사소한 것에 큰 힘을 받는 거예요.

이런 사람들은 이렇게 생각하게 돼요. '아, 내가 드라마를 보며 이렇게 행복한 게 정말 감사한 일이구나.'하고 말이죠. 한 가지라도 행복을 크게 알게 된다면 그 후부터 행복의 소중함을 느낄 수 있게 돼요. 게다가 삶이 풍요로워지죠.

그러기 때문에 행복은 아주 가까이에 있고, 사소한 거라도 만들라는 거예요. '나는 뭘 해도 행복하지도 않고, 느낄 수가 없어.' 하며 가만히 있는 것보다는 이것저것 많이 해보며 무엇을 해야 행복한지 아는 게 중요해요.
책을 읽을 수도 있고, 음악을 들을 수도 있고, 운동을 할 수도 있고, 뭘 만들 수도 있고 할 수 있는 건 아주 다양해요. 어차피 안 될 거라고 시도조차 하지 않는 것뿐이죠.

전 일찍부터 자기가 행복할 수 있는 것을 찾고 그걸로 인해 즐거워하는 사람들을 보면 저조차도 기분이 좋아지더라고요. '저렇게 즐거운 가?'하는 생각이 들면서 미소 짓게 돼요. 행복은 사소한 것으로부터 시작되니 반드시 한 가지라도 찾으셨으면 좋겠어요.
그게 비록 작더라도 삶의 원동력이 될 수 있으니까요.

Part 6

왜 나는 바뀌지 않고 그대로 인 걸까 하며 자책하는 사람들에게

내가 바뀌지 않으면 남들도 변하지 않는다는 걸 알라

'나는 왜 그대로인 걸까?' '난 변할 수 없는 사람일까?'하며 자신을 자책한 적이 있나요? 그러다 포기하고, '그 사람이 먼저 바뀌어 주면 좋겠다.'하고 생각한 적은요? 우선 결론은 내가 바뀌지 않는다면 절대 그 사람이 먼저 바뀔 수는 없다는 거예요.

그렇다고 해서 내가 바뀌면 그 사람도 완전히 바뀔 수 있다 이건 또 아니에요. 그만큼 내가 상대방을 바꾸는 건 어렵다는 말이에요. 자신의 의지가 있지 않다면 말이죠.

아무리 상대방이 바뀌어주길 기다리고 또 기다려도 절대 상대방은 바뀌지 않아요. 그럴 시간에 어떻게 해야 나 자신이 바뀔까 생각하는 게 훨씬 낫죠.

입장을 바꿔 생각하면 어떤 사람이 나보고 이 부분을 좀 바꿔 달라고 얘기한다면 그 사람을 위해 바뀌어줄 건가요? 아무리 소중한 가족이라고 해도 친구라고 해도 자신이 느끼지 못하고 의지가 없으면 소용없어요.
자기 자신을 위한 일인데도 바꾸는 게 어려운데 나를 위해 그 만큼을 노력해 주는 건 쉽지 않다는 거예요.

나를 위해 제일 많이 노력해 줄 수 있는 사람은 나 자신 밖에 없어요. 내가 바뀌려는 이유는 무엇인가요? 내가 편하기 위해, 내가 행복하기 위해서잖아요. 결국은 '나'를 위해서예요. 오로지 나를 위해 바뀌는 게 어려워 포기했는데 상대방이 나를 위해 바뀌어 달라고 바라는 건 아니라는 얘기죠.

그만큼 사람이 한 번에 바뀌는 건 어려운 일이에요. 왜냐면 지금까지 살아온 자신만의 습관이 있고, 버릇이 있거든요.

그걸 한 번에 고치기란 쉬운 일은 절대 아니죠.
앞으로는 ‘그 사람이 바뀌어 주면 좋겠다.’라는 생각보다는 ‘내가 먼저 바뀌어 보자.’하고 다짐을 하는 것이 중요해요.

상대방은 절대 나를 위해서 바뀌어주지 않아요. 그 사람도 나처럼 바뀌는 게 너무 힘들고 많은 것을 포기해야 하니까요.

나 자신이 바뀌기 시작하면 남들이 변하지 않아도 많은 것이 바뀐다는 걸 알라

남들이 나를 위해 변해주는 건 어렵다고 말했었죠? 그러면 어떻게 해야 할까요? 당연히 방법은 하나밖에 없어요. 내가 바뀌는 것이죠.
사실 남이 바뀌어준다고 하면 정말 기쁜 일이겠죠. 하지만 남이 바뀌어주면 다 끝나는 걸까요? 예를 들어볼게요. 그 사람은 상처를 아주 잘 받는 사람이에요. 그래서 얘기를 했더니 '다시는 그런 말 안 하겠다.'하며 상대방이 바뀌어 줬어요. 그런데 앞으로 살아가면서 상처받을 일이 안 생길까요? 아주 무수히 생겨나게 될 거예요. 그렇다면 상처가 생길 때마다 일일이 '좀 고쳐주면 안 될까?'할 건가요?

제가 여기서 하고 싶은 말은 아무리 남이 나를 위해 바뀌어 준다고 해도 내가 변하지 않으면 환경이 바뀔 때마다 또다시 상처를 받게 된다는 거예요. 그러니 저는 남이 바뀌길 원하는 것보다는 내가 바뀌는 게 제일 좋은 방법이라고 생각해요. 나 자신이 바뀌게 된다면 아무리 남들이 바뀌지 않았어도 힘이 생겨나 어떤 말을 해도 물리 칠 수 있거든요.

바뀌는 게 아무리 힘들다고 해도 좌절하지 마세요. 사람마다 다 다를 거예요. 얼마 만에 성장하고 바뀌는 것이 말이에요. 한 번에 바뀔 수는 없어요. 거기다 그 과정에서 분명히 넘어지는 일도 있을 거예요. 하지만 당연한 과정이에요. 그걸 '나는 역시 안 되는 사람이구나.'하고 생각하면 더 나아갈 수 없어요.

내가 바뀌어야 남도 바뀐다는 말은 내가 무조건 바뀌어야지만 남도 바뀔 수 있다는 거지 절대적으로 그 사람이 바뀐다는 생각은 절대 안 하셨으면 좋겠어요. 기대했다가 안 되면 실망이 크잖아요.

그러니 기대하지 말고 이렇게 생각해 보세요. '안 바뀌면 어쩔 수 없지. 내가 바뀌면 되지.'하고 말이에요. 그래서 습관은 아주 어렸을 때부터 고쳐야 된다는 것 같아요. 습관이라는 건 아주 무서운 거니까요. 나도 모르게 이미 습관이 되어 그 행동을 하고 있고, 시간이 지나면 지날수록 바꾸기 어려워지죠.

저는 남이 먼저 바뀌는 걸 바라는 게 아닌 내가 먼저 바뀌어야 남도 변할 수 있다고 생각하는 사람들이 많아져 많은 사람들이 그렇게 되면 좋겠어요.
변해서 좋은 건 그 누구도 아닌 자신이니까요.

한 번에 바뀌지 않는다고 자책할 게 아니라 나를 격려해라

제가 지금까지 제일 많이 말하고, 중요하게 말한 게 바로 그거일 거예요. 나 자신을 사랑하고 존중해라라는 말말이에요. 너무나 당연한 말이고 진부할 수도 있지만 그만큼 자기 자신을 사랑하는 건 중요한 일이니까요.

이 세상에서 나를 제일 사랑해 주고 존중해 줄 수 있는 사람은 나 밖에 없어요. 진짜 그 어떤 누구도 아니에요. 너무 당연한 말이지만 자신을 사랑하는 일이 힘든 사람들에게는 너무나 어려운 숙제와도 같은 일이죠.
마음의 상처가 너무 깊어서, 주변에서 아무도 자존감을 높여주지 않아서 힘들게 살아왔잖아요. 그런데 계속 이렇게 사는 건 너무 힘들지 않겠어요? 고통스럽잖아요. 너무.

만약 나를 향한 악의적인 소문이 퍼졌는데 그 아무도 믿어주지 않는다면 나를 믿어줄 사람은 누구일까요? 친했던 친구들마저도 그 소문을 믿고 나를 욕한다면 너무 절망스럽겠죠. 그 상황에서 그 소문이 거짓이라는 것도 나는 그런 짓을 하지 않았다는 걸아는 것도 당연한 말이지만 나 밖에 없어요.

'괜찮아, 나는 그런 짓을 하지 않았잖아. 나는 당당해.'하고 생각한다면 이상하게도 힘이 생기고 사람들의 눈을 똑바로 쳐다볼 수 있어요. 하지만 나 자신을 믿지 못하고 떳떳하게 생각하지 않으면 당연히 주눅 들게 되죠.

그러니 저는 말하고 또 말해주고 싶어요. 자신이 바뀌는 과정에서도 남들이 아무리 뭐라 해도 듣지 말고 자신감을 높여주는 일에만 집중하라고요. 다른 사람들의 말을 들을 필요 없어요. 그 사람들은 나에 대해 모르잖아요. 그러니 그런 말들은 들을 필요가 없는 거죠.

한 번에 바뀌지 않는다고 자신을 자책할 시간에 산책을 더 하고 나를 칭찬해 주는 게 정말 보람 있는 일 같아요.

저는 그런 사람들이 많아졌으면 좋겠어요. 자기 자신을 아끼고 사랑해 주는 일말이에요.
작은 일처럼 보이지만 엄청난 일이거든요. 자기 자신을 사랑하면 다른 사람도 사랑할 수 있으니까요.

(위로의 말)

세상을 살아가면서 느낀 건데 사람이 살아가는 건 정말 대단한 일 같아요. 아무리 힘든 일이 있고, 어떤 때는 좌절하기도 하고 너무 슬퍼도 살아가는 거잖아요. 저는 그게 아무나 할 수 있는 게 아니라고 봐요. 사람마다 힘든 게 다 다르고, 그걸 견뎌내고 또 살아간다는 게 정말 아름다운 일 같지 않나요?
사람은 살아가면서 상처도 받을 거고, 슬프기도 기쁘기도, 행복한 일도 있을 거예요. 그 감정들을 살아가면서 한 번씩은 다 느끼게 되고 어떨 때는 '행복하기만 하면 좋겠다.'하고 생각할 때도 있겠죠.

하지만 모든 사람들이 행복하기만 할 수는 없다는 걸 알 거예요. 그러기 때문에 자신이 행복하기만 할 수 없어도 살아가는 거고 기쁜 날에는 하늘을 날 만큼 행복한 사람도 있는 거겠죠.

너무 행복할 때는 그 기쁨을 그저 즐기기만 하면 되지만 지치고 눈물만 날 때는 자기 자신을 컨트롤할 힘조차 없을 수도 있어요. 아무리 밝고 긍정적인 사람이라고 해도 인생을 살아가면서 큰 시련을 겪고 힘들어하는 일이 아예 없을 순 없어요. 정말 모두가 한 번씩은 큰 시련을 겪고 다시 일어나는 것 같아요.

나만 힘들고 불행한 게 아니라 모두가 그래요. 하지만 그걸 이겨내고 일어서는 사람이 살아가는 거죠. 그렇다고 해서 이겨내지 못하는 사람들이 나약하다거나 잘 못됐다는 게 아니에요. 그만큼 너무 힘들고 지치니까 못 일어설 수도 있겠죠. 하지만 저는 아무리 죽을 만큼 힘들다고 해도 극복하고 일어서는 사람이 진정한 승리자라고 생각해요.

그만큼 많이 아팠고, 그걸 견뎌낸 거니까 마음이 전보다 더 단단해지고 다음에 또 그런 일이 발생했을 때 이미 경험을 했으니 치유되는 속도가 빠를 테니까요.

많이 힘드시죠? 삶이 너무 지치고 나만 이렇게 힘든 것 같고 나만 못난 사람 같고 말이에요. 누구에게나 그런 순간이 한 번씩은 오는 것 같아요. 하지만 그럼에도 불구하고 여러분은 살아가고 있잖아요. 그건 아무나 할 수 있는 일이 아니에요. 어떤 이유에서든 살아가고 있다는 거 자체가 자신에게 큰 힘이 있다는 거니까요. 지금 살아계셔서 이 땅에 서있고, 하늘 아래 있는 여러분이 정말 대단하시다고 말씀드리고 싶어요.

여러분은 나약한 존재가 아니라 나이가 어떻든 간에 상관없이 저는 성장해 나가는 씨앗인 것 같아요. 사람마다 다 다른 거잖아요. 깨닫지 못한 채 살아가는 사람이 있을 수도 있고 지금에서야 깨달아 과정을 밟아 갈 수도 있죠. 그러니 어른이든 아이든 자신이 '성장'하는 시기는 다 다르기 때문에 누구든 씨앗이 될 수 있는 것 같아요.
여러분은 지금 어떠신 가요? 만약 자기 자신을 자책하며 뭐라고 하시는 분들이 아직도 계신다면 그러실 필요 없어요. 아직 땅에 뿌려진지 얼마 되지 않은 씨앗인데 여리고 여린데, 그러시면 새싹이 나진 않고 시들기만 할 거예요.

아직 땅에 뿌려진지 얼마 되지 않아 빨리 새싹이 나오길 응원하는 것처럼 여러분도 그런 자신을 응원해 주고 빨리 성장할 수 있도록 도와주세요. 씨앗이 뿌려진 자리를 보듬으며 '어서 무럭무럭 자라주렴.'하며 다정한 목소리로 얘기하는 것처럼 여러분도 그래주시고, 성장이 빠르지 못하다고 해도 너무 부추기지만 말고 기다려주세요. 부추기기만 한다고 씨앗이 땅에서 나오는 건 아니잖아요?
성장하는 게 느린 게 아닌 각자 시기가 다른 것뿐이에요. 그러니 자책하지 마세요. 여러분은 나이가 어떻건 다 똑같은 사람이고 많은 부분이 미숙한 사람일 뿐이에요.

저는 그게 누구든 여러분의 자리를 다른 누군가가 대체할 수 없다고 생각해요. 사람마다 각자의 개성이 있고, 누군가가 대체할 수 없는 자신의 마음과 생각들이 있으니까요.
제 글이 여러분에게 조금이나마 위로가 되었으면 하는 바람입니다.

[에필로그]
글을 마무리하며

저는 사실 그런 사람이었어요. 상처도 잘 받고, 자존감이 매우 낮을뿐더러 제 자신을 극도로 혐오하고 싫어했죠. 그렇게 살다가 어느 날 깊이 생각에 잠겨 며칠 내내 생각해 본 적이 있었어요. 그때 정말 힘든 상황이었고, 왜 이렇게까지 됐을까 제 자신을 돌아보게 됐었죠. 전 그때 생각하던 와중에 늦은 밤이었는데 화장실 거울을 보며 울었어요. 다른 이유가 아닌 그저 제 자신에게 너무 미안해서요. 처음으로 전 제 자신에게 미안하다고 사과하고, 제 자신을 처음으로 이해하고 존중하는 마음을 가지게 됐어요.

전 아직까지도 씨앗이에요. 완전히 성장한 게 아닌 성장을 하고 있는 단계인 거죠. 그렇지만 전보다는 훨씬 나아지고 있고, 좋아지고 있어요.
그러면서 깨달은 건 성장을 하는 단계에서 넘어지고 좌절하는 일이 없을 수는 없다는 거예요.

전 같으면 넘어졌을 때 '나는 왜 그럴까?'하며 타박했을 텐데 지금은 그럴 수밖에 없다고 제 자신을 기다려주고 있어요. 완전히 나아질 때까지 말이죠. 하지만 평생을 그렇게 살다 보니 시간도 많이 걸리고 힘들더라고요. 그렇지만 노력하고 제 자신을 덜 힘들게 하기 위해 온 힘을 다하고 있는 것 같아요.

제가 어느 정도 깨닫고 성장을 하니 어느 날 그런 생각이 들었어요. '나 같이 힘들어하는 사람들이 또 있지 않을까?'하고요. 그래서 이 책을 집필하게 됐어요. 사람들에게 제 경험과 제가 깨달은 것들을 담아 알려주고 그것이 도움이 되면 행복할 것 같았거든요.
누군가가 나로 인해 성장하고 도움을 받는다면 그것만큼 뿌듯하고 보람 있는 게 없는 것 같아요. 살아가는 건 무언가가 정해져 있어 그 길만 가는 게 아니라 자기 자신이 길을 만들어 가는 거예요. 꼭 자신의 길을 찾아 행복하고 즐거운 것이 가득한 날이 왔으면 좋겠습니다.